Chefs-d'œuvre
de l'impressionnisme français

CHEFS-D'ŒUVRE
DE L'IMPRESSIONNISME FRANÇAIS

Diane Kelder

Professeur d'histoire de l'art au College of Staten Island,
University of New York

FRANCE LOISIRS
123, boulevard de Grenelle
Paris

Première de couverture : Claude Monet, *La Rue Saint-Denis,
Fête du 30 juin 1878* (dit à tort *La Rue Montorgueil*),1878. Musée des Beaux-Arts,
Rouen. Voir illustration 96.
Quatrième de couverture : Vincent van Gogh, *La Chaise et la pipe*,
1888-1889. Tate Gallery, Londres. Voir illustration 187.
Dos : Pierre-Auguste Renoir, *La Danse à la campagne*, 1881.
Musée d'Orsay, Paris. Voir illustration 116.
Frontispice : Vincent van Gogh, *L'Escalier d'Auvers*, 1890.
Saint Louis Art Museum.

Titre original : *The Great Book of French Impressionism*
Traduit de l'anglais (Etats-Unis) par Virginie Mahieux
Ouvrage original : ©1980, Abbeville Press, New York
Traduction : © 1996, Editions Abbeville, Paris
Edition du Club France Loisirs, Paris avec l'autorisation des Editions Abbeville

Dépôt légal : septembre 1996
ISBN 2-7441-0225-3
N° Éditeur : 27200

Sommaire

INTRODUCTION

En 1874, plusieurs jeunes peintres, fermement décidés à montrer leur indépendance vis-à-vis des contraintes de l'Académie, se regroupèrent et organisèrent eux-mêmes une exposition de leurs toiles. Mal compris par leurs contemporains, méprisés par les critiques et ignorés de tous exceptés d'un petit groupe d'admirateurs et de collectionneurs, ils durent âprement lutter contre les critiques les plus vives avant d'atteindre le succès et à la postérité. Au cours d'une période étonnamment brève, la petite bande parvint à libérer la peinture des empreintes théoriques et techniques du passé.

Les impressionnistes ont fermement rejeté l'idée qu'un sujet artistique devait avoir une valeur littéraire intrinsèque ou qu'il devait, pour être digne d'être représenté, être précieux ou instructif. Conscients des bouleversements de leur époque et attentifs à la modernité, ils cherchèrent à développer de nouvelles techiques qui purent les exprimer. Au lieu de peindre ce qu'ils savaient, comme l'avaient fait leurs prédécesseurs, ils s'attachèrent à peindre ce qu'ils voyaient. Comme Elstir, le peintre impressionniste décrit Marcel Proust dans *La Recherche du temps perdu*, ils se sont efforcés de représenter une réalité «pure» et débarrassée de tout intellect. Cette quête fit naître des techniques tout à fait nouvelles : ils abandonnèrent leurs ateliers pour peindre en plein air ; ils adoptèrent des toiles de dimensions moins monumentales ; enfin, et surtout, ils renouvelèrent leur palette et leurs touches de pinceaux pour capturer l'atmosphère éphémère.

Un siècle après la première exposition, les tableaux, qui étaient alors jugés inachevés ou absurdes et parmi lesquels se trouvait le célèbre *Impression, Soleil levant* de Monet, ne choquent plus. Aujourd'hui, rare est la mise aux enchères d'une œuvre impressionniste et l'on y voit immanquablement musées et mécènes se l'arracher à des sommes astronomiques. Bien que l'intérêt populaire pour l'impressionnisme semble aujourd'hui sans limite, il apparaît que les

Eugène Delacroix *La Mort de Sardanapale,*
1827-1827. Musée du Louvre, Paris

historiens et les critiques s'y soient surtout intéressés dans les années 1960. En
effet, son lien évident avec certains mouvements de l'art abstrait a favorisé un
regain d'intérêt pour le mouvement impressionniste ainsi que pour le contexte
dont il est issu.

Les impressionnistes sont probablement les premiers artistes à se regrouper
pour défendre une recherche commune. Nombre d'entre eux étaient nés en
dehors de Paris, mais ce n'est qu'au sein de la capitale qu'ils pouvaient atteindre

pendant l'Exposition Universelle de Paris de 1867, recueillirent l'approbation des artistes qui formèrent plus tard le noyau dur du mouvement impressionniste. A l'époque de cette exposition, Monet, Renoir, Pissarro et Sisley œuvraient déjà sérieusement dans les voies du paysage. Mais leur représentation du fugitif et de l'éphémère était purement physique et dénuée des implications sociales ou psychologiques de Manet. Les motifs de parcs ou de jardins parisiens ne les satisfaisant plus, le groupe s'installa dans les banlieues environnantes ou plus loin, dans les villages. Ils peignirent la Seine et la campagne et éliminèrent

Paul Gauguin *Mahana No Atua. Jour de Dieu*, 1894
Art Institute of Chicago ; Helen Birch Bartlett Memorial Collection

un rejet du passé et de toutes les attitudes respectueuses associées à la tradition et à l'expérience. Les Académiciens étaient considérés comme les seuls artistes de grand art. Et bien entendu, ils n'étaient pas très favorables à l'épanouissement d'un mouvement artistique nouveau et indépendant. Au début du XIXᵉ siècle, la hiérarchie rigide de l'Académie s'était un peu détendue : une bourse fut attribuée aux étudiants paysagistes afin qu'ils partent se perfectionner à Rome. Néanmoins, le paysage restait un genre mineur comparativement aux thèmes historiques et mythologiques.

Le style d'Ingres et de ses successeurs envahissait les salles de l'Ecole des Beaux-Arts et les murs des Salons officiels où se jouaient la réputation des artistes. La peinture du maître indépendant Eugène Delacroix n'était elle-même pas en reste dans ses références avec l'histoire et la littérature. Bien qu'il fût capable de traiter l'actualité, Delacroix se limitait à des thèmes historiques inspirés des crises nationales et internationales.

On comprend que Napoléon III put soutenir un art rétrospectif et éclectique et qu'il ait chargé le ministre des Beaux-Arts, le comte Nieuwerkerke, de contrôler les Académies. Les plus fervents défenseurs de cet art se trouvaient dans la moyenne et la haute bourgeoisie, quand ce n'était pas une partie du gouvernement lui-même. Cette bourgeoisie trouvait sa manne dans les Salons officiels et décorait ses hôtels particuliers et ses châteaux avec de «grandes machines» : pastiches élaborés d'œuvres classiques, médiévales ou renaissantes ou encore pièces d'un exotisme contemporain vaguement inspiré de motifs du Moyen-Orient.

L'exposition de La Société anonyme des artistes, peintres, sculpteurs, etc. (nom originellement choisi par les artistes qui exposèrent en 1874) représentait le point culminant d'une révolte contre l'art établi qui avait débuté près de vingt ans plus tôt avec Courbet. Il avait en effet décidé d'organiser sa propre exposition indépendamment de l'officielle et, douze ans plus tard, Manet reprit cette idée. Courbet se fit le champion d'un art «concret» qui traitait exclusivement son époque : un art qui osait mettre en scène des physiques authentiques, ceux d'hommes ordinaires et non plus de héros. L'art de Courbet a coincidé et a probablement influencé l'avénement du matérialisme scientifique et du naturalisme littéraire.

On ne peut pas réellement comprendre l'impressionnisme sans considérer l'apport essentiel des peintres réalistes, dont Courbet et les travaux d'un groupe de paysagistes qui travaillaient à Barbizon. Inspirés par les maîtres hollandais du XVIIᵉ siècle et par les toiles éclatantes de leur contemporain le paysagiste anglais John Constable, ils cherchaient à exprimer leur relation personnelle et intime avec la nature. Ils avaient en effet trouvé le reflet idéal de leurs états d'âme dans les représentations des saisons et des atmosphères constamment changeantes. Nombre des techniques picturales généralement attribuées aux impressionnistes avaient déjà été pratiquées par certains membres du groupe. Mais Barbizon n'était pas le seul lieu qui attirait les futurs peintres impressionnistes. Les vastes plages de Normandie, peintes d'abord par Eugène Boudin, leur proposaient aussi de nouvelles lumières tandis que les couleurs du ciel et de la mer ne cessaient de les fasciner.

Alors que les innovations des paysagistes ne suscitaient que rejet ou indifférence, la sélection des Salons provoqua de nombreuses déceptions. Les jurés du Salon officiel de 1863 avaient en effet écarté plus de la moitié des œuvres présentées. Le mécontentement fut si vif que Napoléon III, ignorant les objections de l'Académie, autorisa l'ouverture d'une exposition parallèle : le Salon des Refusés. Dès le premier jour, les Refusés eurent plus de succès que leurs voisins, les Officiels. Etonnant mélange d'ancien et de nouveau, de mauvais et de bon, cette exposition sans précédent enchanta ou scandalisa les curieux qui s'y précipitèrent. Quelques-uns des artistes présents, dont Pissarro, Fantin-Latour, Cézanne et l'Américain James McNeill Whistler, allaient par la suite dominer l'histoire de l'impressionnisme, et plus largement, celle de la peinture moderne. Parmi les Refusés se trouvait aussi et surtout *Le Déjeuner sur l'herbe* de Manet (1863) qui devint le symbole des intentions audacieuses de la nouvelle peinture. Ainsi «Refusé» devint-il synonyme de «Révolutionnaire» et dans l'esprit du public, Manet était le père de cette révolution.

Maurice Denis *Avril*, 1892
Rijksmuseum Kröller-Müller, Otterlo

L'œuvre de Manet scandalisa par sa juxtaposition d'éléments traditionnels et modernes, ses innovations techniques soulevèrent une tempête de critique qui souffla pendant dix ans. Les artistes plus jeunes, comme Monet et Bazille, relevèrent immédiatement le défi de Manet. Ils plaçèrent au beau milieu d'un paysage des figures grandeur nature et traitèrent ces motifs avec des techniques totalement nouvelles. La récurrence du déjeuner sur l'herbe ou des baigneurs, tous deux présents dans le tableau de Manet, constitue l'un des chapitres significatifs de l'histoire de la peinture moderne. C'est avec les grandes séries de Cézanne que ces thèmes s'épanouirent : l'opposition essentielle entre motif et technique et entre tradition et innovation s'apaisa dans des tableaux à la fois classiques et précurseurs de l'art abstrait.

La peinture de Manet et sa décision d'organiser une exposition individuelle

leur but car Paris n'était pas seulement la capitale d'un empire – celui de Napoléon III – mais aussi et surtout, la capitale mondiale de l'art. Et l'une des priorités de Napoléon III fut la métamorphose physique de la ville. Il souhaitait transformer les petites rues étroites en grandes artères dignes d'une métropole moderne. Ce pari fut gagné grâce au génie du baron Haussmann. Ses vastes boulevards éclairés offraient de nouvelles perspectives et de nouveaux motifs au groupe de jeunes peintres.

Pour la plupart des impressionnistes, l'adéquation à leur époque impliquait

James McNeill Whistler *Caprice en Violet et Or Nº2 : le Paravent doré*, 1864. Freer Gallery of Art, Washington, D.C.

peu à peu toutes références humaines pour ne rendre que les variétés subtiles de l'atmosphère et les changements incessants du climat.

Dans les années qui précédèrent la première exposition impressionniste, les styles des peintres du groupe formèrent un ensemble suffisamment hétérogène pour accueillir des artistes plus indépendants comme Degas. Son intérêt pour les sujets d'intérieur et les portraits le plaçait en effet en marge du mouvement. Pour Degas, l'obsession du moment – ce que Monet appelait la recherche de l'instantanéité – était un frein sérieux à la réalisation de la structure picturale. il ne fut jamais très à l'aise avec le qualificatif d'«impressionniste», imposé au groupe par un critique acerbe, cependant, il s'investit dans sa mission, celle d'exposer et de faire connaître les œuvres du groupe. De son côté, Renoir romput complètement avec ses premiers collègues quand il réalisa que leurs préoccupations à saisir le spontané et les faits du hasard, émergeant d'un contact direct mais bref avec leurs sujets, étaient opposées aux ses recherches personnelles : l'association d'un dessin ferme et de couleurs sensuelles.

L'impressionnisme a été très vite assailli par des tensions et ce, cinq années après sa formation. Et dix ans plus tard, les artistes qui avaient été le cœur et l'âme du mouvement s'étaient séparés tant spatialement qu'idéologiquement. Il y eut huit expositions entre 1874 et 1886, et un seul artiste, Camille Pissarro, y avait systématiquement participé. Lors de la dernière exposition, ceux qui retinrent l'attention des critiques n'étaient plus les anciens du groupe mais les jeunes artistes comme Georges Seurat. Sa toile majeure, *Un dimanche après-midi à l'Ile de la Grande-Jatte* (1884-1886), apparut à l'époque comme une œuvre de plein air mais elle illustrait surtout un puissant programme d'idées réformistes concernant l'approche directe, intuitive et largement individualiste qui avait été développée pendant les vingt dernières années. Curieusement, la contribution de Seurat résidait dans l'élaboration d'une construction picturale cohérente par l'organisation des couleurs pures chères aux impressionnistes. Il en résulta alors une schématisation de l'art en valeurs symboliques et décoratives qui s'opposaient à tout ce que le groupe avait autrefois défié.

La crise de l'impressionnisme, amplifiée par l'émergence du vigoureux et réformateur mouvement néo-impressionniste, ne se limita pas à une simple critique des techniques, on reprocha aussi au groupe de manquer d'esprit et d'âme. Le manifeste du symbolisme publié en 1886 exprima concrètement son détachement absolu du naturalisme littéraire et artistique. Van Gogh, qui n'avait jamais exposé avec les impressionnistes, et Gauguin, qui les avait rejoint cinq fois, allèrent au-delà de l'utilisation de la couleur à seule fin de représenter les effets physiques et l'utilisèrent pour ses pouvoirs d'émotion, d'expression et de décoration. Chez eux, comme chez leurs héritiers, les nabis et les fauves, la couleur et la ligne se libéreraient définitivement des motivations physiques.

L'obsession de la modernité, qui commença à se manifester dès les premières années de l'impressionnisme, marqua l'évolution unique de Monet. A partir d'une recherche ténue pour capter l'apparence d'une rue baignée de soleil ou d'une plage sous la pluie, il a évolué vers une conscience plus dramatique de la vitalité du temps. Dès lors, il retourna plusieurs fois au même sujet afin de représenter toutes les variations de son identité.

Ce n'est que dans la dernière décennie du siècle, cinq ans après l'ultime exposition des impressionnistes, que Monet découvrit enfin la technique qui lui permit d'aller bien plus loin que tous ses collègues dans ses études du temps. Ses séries de meules de foin, de peupliers et de cathédrales lui permirent de prendre conscience, plus que jamais auparavant, de la continuité du temps et de la succession de ses expressions. A mesure qu'il travaillait sur différentes versions de mêmes thèmes pendant des heures, des jours et des mois, son objectivité, qui avait jadis caractérisé son approche du paysage, se transforma en subjectivité voire autobiographie – celle de ses réactions au motif. Dans les vingt-cinq dernières années de sa vie, alors que ses vieux amis étaient morts depuis longtemps, l'univers de Monet se limitait aux jardins de sa maison de Giverny. La contemplation prolongée de ces jardins, et particulièrement celle de l'étang à nénuphars, lui fit prendre conscience de la continuité de la vie physique et du temps : le jardin aquatique représentait une synthèse de l'être et du devenir. Le sentiment d'éternité et d'infini qui émane de ses *Nymphéas* nous transporte au-delà du monde et des simples événements et nous entraînent dans un ailleurs magique, dont l'identité ne devient perceptible qu'en contemplant les huit toiles que le peintre exécuta spécialement pour les deux pièces ovales de l'Orangerie.

L'année où Monet commença ses premiers nénuphars, Cézanne débuta aussi un motif qui allait l'occuper pendant six de ses sept dernières années de vie. Ses *Grandes Baigneuses* (1899-1905) représentent la version la plus complexe d'un thème auquel il s'était attaché depuis ses années de collaboration au groupe impressionniste. A cette époque déjà, gêné par les limites de la technique impressionniste, il s'était cherché une nouvelle voie par l'union des couleurs claires et pures, de l'observation directe du monde et du sens inné de la structure qu'il découvrait dans la nature. Grâce à ses coups de pinceaux, la terre, l'eau et le ciel devinrent palpables et formèrent une identité homogène. Chez Cézanne, comme chez Manet, la tradition joua un rôle paradoxalement important qui le sépara de l'impressionnisme et le fit évoluer vers une conception transcendante et finalement moderne de la peinture.

C'est précisément dans la confrontation avec le passé que l'art de Cézanne peut être apprécié. Plus qu'aucun autre membre du groupe impressionniste, Cézanne symbolise le caractère de la peinture moderne. Rigoureusement analytiques et absolument privées de la lumière et du charme typique des débuts de l'impressionnisme, les œuvres graves de Cézanne auraient pu être présentes aussi bien au Salon officiel qu'aux expositions du groupe. Mais lorqu'elles furent exposées à l'occasion d'une grande rétrospective en 1907, leur irrégularité, leurs formes puissantes et leurs perspectives ambiguës parlèrent à George Braque et Pablo Picassso, ces génies d'une autre révolution esthétique, le cubisme, qui allait modifier l'histoire de l'art occidental.

VERS UNE REPRÉSENTATION DE LA VIE MODERNE

Lors de la Grande Exposition Universelle de 1855, Ingres, Delacroix et d'autres artistes intimement rattachés aux Salons officiels et aux ateliers académiques raflèrent la plupart des Prix et des honneurs avec des œuvres historiques, mythologiques et religieux. La presse populaire ne manqua pas de mentionner les célébrités qui reçurent les prix officiels. Charles Baudelaire, le critique le plus pénétrant de l'époque, chanta les louanges de Delacroix non pas pour ses sujets ni même la grandeur de ses portraits mais pour son grand talent de coloriste.

Jusque bien avant dans le XIXe siècle, le paysage souffrit d'être jugé comme un thème inférieur comparé à l'histoire. En 1816, l'institution par l'Ecole des Beaux-Arts d'un Prix de Rome pour le paysage atteste cependant de la reconnaissance officielle du genre. Corot fait partie de ces peintres qui allèrent travailler à Rome. Le regard aiguisé par l'observation et la représentation de la lumière italienne, Corot revint en France dans les années 1820 et fut en quelque sorte vénéré par un groupe de peintres réalistes, ceux de l'Ecole de Barbizon. Ces artistes, influencés en partie par les paysagistes anglais comme Constable et Turner, avaient une même affinité pour l'exploration de l'atmosphère, du lieu et de la vie moderne. Daubigny, Daumier, Courbet, Millet et d'autres représentaient ce qu'ils «voyaient» mais d'une façon qui avait été jugée jusque-là inachevée et donc inacceptable pour pénétrer les Salons.

Depuis ses débuts, la représentation artistique de la vie moderne se développait en France avec la description des activités ordinaires des classes inférieures : les fermiers travaillant aux champs, les affaires quotidiennes de la bourgeoisie, les dimanches à la campagne et les variations atmosphériques de la nature. S'ajoutaient à tous ces thèmes les effets de l'homme sur la nature – ses innovations technologiques qui modifiaient son milieu. Même les événements ordinaires, souvent représentés avec un réalisme rude, purent devenir des sujets de tableaux. C'est dans la nature que les impressionnistes trouvèrent leur liberté et parmi ceux qui avaient déjà rompu avec le passé qu'il choisirent leurs mentors. Avec une variété sans précédent, les impressionnistes ont été les témoins de la société et la vie quotidienne des Français de la seconde moitié du XIXe siècle.

1. Jean Auguste Dominique Ingres *L'Odalisque à l'esclave*, 1842
Walters Art Gallery, Baltimore

2. Eugène Delacroix *La Liberté guidant le peuple*, 1830
Musée du Louvre, Paris

3. J.M.W. Turner *Le Parlement en feu*, 1834
British Museum, Londres ; courtesy the Trustees of the British Museum

4. Camille Corot *Le Batelier de Mortefontaine*, 1865–1870
Frick Collection, New York

5. Charles–François Daubigny *Soleil couchant*, 1865
Musée du Louvre, Paris

6. Jean–François Millet *L'Angélus*, 1867
Musée du Louvre, Paris

7. Honoré Daumier *La Blanchisseuse*, 1861–1863
Musée du Louvre, Paris

8. Gustave Courbet *L'Atelier du peintre*, 1855
Musée d'Orsay, Paris

9. Gustave Courbet *Femme avec un perroquet*, 1866
Metropolitan Museum of Art, New York : H. O. Havemeyer Collection

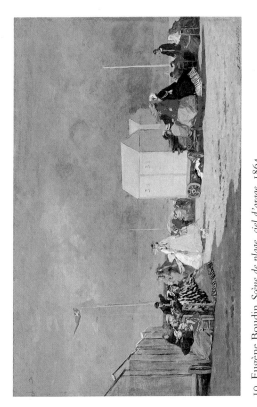

10. Eugène Boudin *Scène de plage, ciel d'orage*, 1864
Art Institute of Chicago ; don Annie Swan Coburn
à la Mr. et Mrs. Lewis L. Coburn Memorial Collection

11. Edouard Manet *Le Vieux Musicien*, 1862
National Gallery of Art, Washington, D.C. ; Chester Dale Collection

12. Edouard Manet *Le Torero mort*, 1864
National Gallery of Art, Washington, D.C.; Widener Collection

13. Edouard Manet *L'Exécution de l'empereur Maximilien*, 1867
National Gallery, Londres

14. Edouard Manet *Combat du* Kersage *et de l'*Alabama, 1864
Philadelphia Museum of Art ; John G. Johnson Collection

15. Edouard Manet *Courses à Longchamp*, 1872
Art Institute of Chicago ; Potter Palmer Collection

16. Claude Monet *Le Quai du Louvre*, 1867
Haags Gemeentemuseum, La Haye

17. Claude Monet *Le Pont de l'Europe*, 1877
Musée Marmottan, Paris

18. Gustave Caillebotte *Le Pont de l'Europe*, 1876
Musée du Petit Palais, Genève

19. Gustave Caillebotte *Rue de Paris, temps de pluie*, 1877
Art Institute of Chicago ; Charles H. & Mary F. S. Worcester Collection

20. Pierre-Auguste Renoir *Le Pont-Neuf*, 1872
National Gallery of Art, Washington, D.C. ; Ailsa Mellon Bruce Collection

21. Camille Pissarro *La Côte du Jallais, Pontoise*, 1867
Metropolitan Museum of Art, New York ; legs William Church Osborn

22. Edgar Degas *Portraits dans un bureau, La Nouvelle-Orléans*, 1873
Musée des Beaux Arts, Pau

23. Mary Cassatt *A l'Opéra*, 1880
Museum of Fine Arts, Boston ; Charles Henry Hayden Fund

24. Edgar Degas *Repasseuse à contre-jour*, 1882
National Gallery of Art, Washington, D.C. ;
Collection Mr. & Mrs. Paul Mellon

25. Edgar Degas *La Boutique de mode*, vers 1882
Art Institute of Chicago ;
M   L   C   M   Memorial Collection

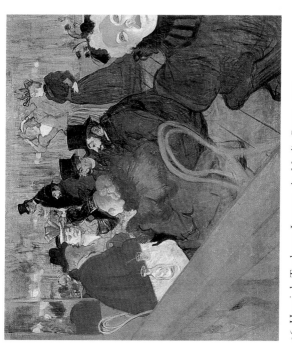

26. Henri de Toulouse-Lautrec *Au Moulin-Rouge*, 1892
Art Institute of Chicago ; Helen Birch Bartlett Memorial Collection

27. Edgar Degas *Au théâtre*, 1880
Durand-Ruel Collection, Paris

28. Henri de Toulouse-Lautrec *Un coin du Moulin de la Galette*,
1892. National Gallery of Art, Washington, D.C. ;
Chester Dale Collection

29. Vincent van Gogh *L'Intérieur d'un restaurant*, 1887
Rijksmuseum Kröller-Müller, Otterlo

30. Vincent van Gogh *Le Café de nuit*, 1888
Rijksmuseum Kröller-Müller, Otterlo

EDOUARD MANET :
UN RÉVOLUTIONNAIRE MALGRÉ LUI

Paradoxalement, Edouard Manet était un indépendant qui croyait qu'il ne pouvait réaliser ses ambitions artistiques sans se passer des milieux officiels. Il persista dans cette voie bien que ses œuvres ne cessassent de provoquer la controverse. De fait, la reconnaissance qu'il avait toujours espérée n'arriva qu'après sa mort en 1883. Avec son esprit indépendant et ses penchants pour les modèles ordinaires vêtus de façon contemporaine, Manet se trouvait inévitablement en opposition avec la peinture historique traditionnelle. A la recherche de son style, il étudia et copia les maîtres du passé (dont Titien, Rembrandt et Velàzquez) mais il fut aussi attiré par la peinture de son temps, celle des cafés et des chiffonniers, insistant sur le sens nouveau de l'informalité et du fortuit dans l'art.

Dès 1861, Baudelaire qualifia Manet de «peintre de la vie moderne» après avoir admiré ses tableaux acceptés cette année-là au Salon. En 1863, ses œuvres ne furent pas sélectionnées par le jury. Manet ne se considéra pas pour autant comme le porte-drapeau des contestataires même s'il avait dirigé une pétition adressée au ministre d'Etat – afin de faire changer une clause stipulant que les artistes reçus ne pouvaient exposés plus de trois œuvres – et même s'il se trouva être le peintre le plus célèbre des Refusés. Cependant la rébellion enclenchée par Manet fit de lui le maître à penser des jeunes peintres. C'est donc tout naturellement que Manet reçut le soutien de tout un groupe d'artistes – dont Monet, Renoir et Bazille – lorsqu'en 1867, il organisa une exposition personnelle.

Alors qu'il passa une grande partie de sa vie à proclamer son attachement au Salon, Manet trouva des alliés parmi ceux qui ne cessaient de le rejeter. Au nombre des admirateurs, se trouvaient les impressionnistes fascinés à la fois par la fraîcheur de ses thèmes contemporains et le rendu moderne de ses thèmes historiques. Ainsi, Manet influença-t-il le groupe de jeunes peintres et réciproquement. Manet travailla avec Monet et Renoir en 1874 à Argenteuil-sur-Seine. Au cours de cet été, il découvrit la palette et la lumière qui caractérisent la technique impressionniste. A partir de cet épisode et jusqu'à la fin de sa vie, Manet va peindre nombre d'œuvres qui pour l'admirateur d'aujourd'hui présentent des caractéristiques impressionnistes.

31. Edouard Manet *Olympia*, 1863
Musée d'Orsay, Paris

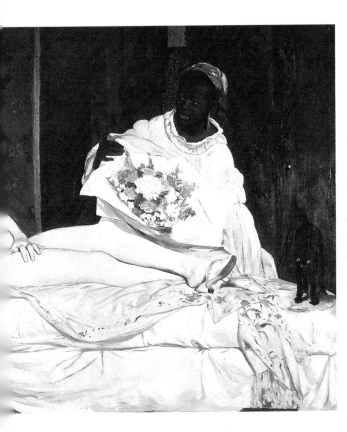

32. Edouard Manet *Lola de Valence*, 1862
Musée d'Orsay, Paris

33. Edouard Manet *Victorine Meurent en costume d'espada*, 1862. Metropolitan Museum of Art, New York ; H. O. Havemeyer Collection

34. Edouard Manet *Portrait d'Emile Zola*, 1868
Musée d'Orsay, Paris

35. Edouard Manet *Nana*, 1877
Kunsthalle, Hambourg

36. Edouard Manet
*La Musique aux
Tuileries*, 1862.
National Gallery,
Londres

37. Edouard Manet *La Chanteuse des rues*, 1862
Museum of Fine Arts, Boston ;
legs Sarah Choate Sears

38. Edouard Manet *Le Balcon*, 1868–1869
Musée d'Orsay, Paris

39. Edouard Manet
Le Déjeuner sur l'herbe, 1863
Musée d'Orsay, Paris

40. Edouard Manet *Le Départ du bateau de Folkestone*, 1869
Philadelphia Museum of Art ; don Mr. Carl Zigrosser

41. Edouard Manet *Monet peignant dans son bateau-atelier*, 1874
Bayer Staatsgemaldesammlunge, Munich

42. Edouard Manet *En bateau*, vers 1874
Metropolitan Museum of Art, New York ; H. O. Havemeyer Collection

43. Edouard Manet *Argenteuil*, 1874
Musée des Beaux-Arts, Tournai ; Collection H. von Custon

44. Edouard Manet *La Prune*, vers 1877
National Gallery of Art, Washington, D.C. ;
Collection Mr. & Mrs. Paul Mellon

45. Edouard Manet *Le Café-concert*, 1878
Walters Art Gallery, Baltimore

46. Edouard Manet
Dans la serre, 1879
Nationalgalerie, Berlin

47. Edouard Manet *Le Chemin de fer, Gare Saint-Lazare,* 1873
National Gallery of Art, Washington, D.C. ;
Don Horace Havemeyer

48. Edouard Manet *Chez le Père Lathuille*, 1879
Musée des Beaux-Arts, Tournai

49. Edouard Manet *Portrait d'Alphonse Maureau*, vers 1880
Art Institute of Chicago ; don Kate L. Brewster

50. Edouard Manet *La Lecture de l'«Illustré»*, vers 1878-1879
Art Institute of Chicago ; Mr. & Mrs. Lewis L. Coburn
Memorial Collection

51. Edouard Manet *Fruits et melon sur un buffet*, 1866
National Gallery of Washington, D.C. ; don Eugène & Agnès Meyer

52. Edouard Manet *Roses, œillets, pensées dans un vase de cristal*, 1882. National Gallery of Art, Washington, D.C. ; Ailsa Mellon Bruce Collection

53. Edouard Manet
Le Bar aux Folies-Bergère, 1882
Courtauld Institute Galleries, Londres

54. Edouard Manet *Le Bal de l'Opéra*, 1873
National Gallery of Art, Washington, D.C.

LA NOUVELLE PEINTURE

La semence jetée dans l'esprit de Bazille, Sisley et Monet au moment de l'exposition individuelle de Manet portera ses fruits sept ans plus tard avec la première des huit expositions collectives qui se tinrent à Paris entre 1874 et 1886. La liste des membres fondateurs de la Société anonyme des peintres, sculpteurs, graveurs, etc. créée en 1873 comprenait les noms de Monet, Degas, Pissarro, Renoir, Sisley, Guillaumin, Berthe Morisot, Cézanne, Boudin et Bracquemond. Au total, trente d'artistes participèrent à la première exposition.

Le caractère radical et audacieux d'une telle manifestation fournit une abondante matière pour la presse. Les réactions furent d'autant plus virulentes que les œuvres du groupe s'opposaient plus que jamais à celles du Salon officiel cette année-là. En effet, les œuvres achevées que les impressionnistes présentaient sans honte aux yeux du public auraient été considérées par les peintres académiques comme des études préparatoires. Et ces jeunes artistes (qui avaient en moyenne trente ans) n'y auraient pas été récalcitrants s'ils n'avaient pas été si occupés à panser les blessures d'une critique.

Les artistes de la nouvelle peinture étaient communément intéressés par l'atmosphère, l'eau et les autres effets évanescents, la lumière estivale et les brises légères, les promenades en bateau, la danse et les loisirs. Ce thème de la vie contemporaine reflète le changement significatif dans tout son rythme, s'attache aux activités de la société à tous les niveaux et marque cette peinture d'une spontanéité jusqu'alors inconnue. Et l'on pourrait dire que c'est l'Académie elle-même qui avait ouvert la voie à cette nouvelle peinture en acceptant, dans sa toute mansuétude, le paysage plus d'un siècle plus tôt.

55. Claude Monet *Impression,
soleil levant*, vers 1872
Musée Marmottan, Paris

56. Frédéric Bazille *Scène d'été*, 1869
Fogg Museum, Harvard University, Cambridge, Mass. ;
don M. & Mme F. Meynier de Salinelles

57. Claude Monet *La Grenouillère*, vers 1869
Metropolitan Museum of Art, New York ; H. O. Havemeyer Collection

58. Pierre-Auguste Renoir *La Grenouillère*, vers 1869. National Museum, Stockholm

59. Berthe Morisot *Vue du petit port de Lorient*, 1869
National Gallery of Art, Washington D.C. ; Alisa Mellon Bruce Collection

60. Alfred Sisley *Le Pont à Villeneuve-la-Garenne*, 1872
Metropolitan Museum of Art, New York ; don Mr. & Mrs. Henry Ittleson Jr.

61. Claude Monet *Régates à Argenteuil*, 1872
Musée d'Orsay, Paris

62. Alfred Sisley *Rue du village à Marlotte*, 1866
Albright-Knox Art Gallery, Buffalo ; General Purchase Fund

63. Edgar Degas
*Aux courses en Provence
(La Voiture aux courses)*,
1871-1872.
Museum of Fine Arts,
Boston ; Arthur
Gordon Thompkins
Residuary Fund

64. Paul Cézanne *La Maison du Père Lacroix*, 1873
National Gallery of Art, Washington, D.C. ;
Chester Dale Collection

65. Claude Monet *Le Boulevard des Capucines*, 1873
Nelson Gallery, Atkins Museum, Kansas City ; acquis
par la Fondation Kenneth A. & Helen F. Spencer

66. Frédéric Bazille *L'Atelier de la rue Condamine*, 1870
Musée d'Orsay, Paris

67. Edgar Degas *Foyer de la danse*, 1871
Metropolitan Museum of Art, New York ; H. O. Havemeyer Collection

68. Berthe Morisot *L'Ombrelle verte (Madame Pontillon assise dans l'herbe)*, 1873
Cleveland Museum of Art ; don Hanna Fund

69, Camille Pissarro *Verger en fleurs, Louveciennes*, 1872
National Gallery of Art, Washington, D.C. ; Alisa Mellon Bruce Collection

70. Claude Monet *Le Pont routier, Argenteuil*, 1874
National Gallery of Art, Washington, D.C. ; Paul Mellon Collection

71. Pierre–Auguste Renoir *Régates à Argenteuil*, vers 1874
National Gallery of Art, Washington, D.C. ; Alisa Mellon Bruce Collection

72. Alfred Sisley *Premières neiges à Louveciennes*, 1874
Museum of Fine Arts, Boston ; legs John T. Spaulding

73. Alfred Sisley *L'Inondation à Port-Marly*, 1876
Musée d'Orsay, Paris

74. Pierre-Auguste Renoir *Au Moulin de la Galette*, 1876
Musée d'Orsay, Paris

75. Mary Cassatt *En bateau à rames*, 1893–1894
National Gallery of Art, Washington, D.C. ; Chester Dale Collection

76. Pierre-Auguste Renoir *La Balançoire*, 1876
Musée d'Orsay, Paris

77. Edgar Degas *L'Absinthe*, 1876
Musée d'Orsay, Paris

78. Berthe Morisot *Jour d'été*, 1879
National Gallery, Londres ; courtesy the Trustees of the National Gallery

79. Edgar Degas *Duranty*, 1879
Glasgow Art Gallery ; Burrell Collection

80. Mary Cassatt *La Loge*, 1882
National Gallery of Art, Washington, D.C. ;
Chester Dale Collection

81. Mary Cassatt *Femme assise devant une table à thé*, 1885
Metropolitan Museum of Art, New York ; don Mary Cassatt

Claude Monet :
l'impressionniste par excellence

Avec le nom de Monet vient automatiquement à l'esprit celui d'impressionniste accompli. Pourtant, Monet, comme son aîné Manet, n'a pas d'emblée rejeté la tradition et les opportunités de succès qu'elle offrait. Pendant sa jeunesse passée au Havre, Monet sut saisir l'œil que Boudin portait sur les ports et les plages, les ciels nuageux et les effets atmosphériques. Boudin fut sans doute le premier guide du jeune artiste : il encouragea son intérêt pour la peinture en plein air et le persuada de se rendre rapidement à Paris. Ainsi donc, à la fin de 1862, Monet devint-il l'élève du peintre historien Charles Gleyre et, en 1865, ses marines lui vaudront une première entrée au Salon.

Comme Manet, Monet avait repris un thème récurrent à l'époque, celui de placer des personnages dans un paysage, mais il choisit une scène contemporaine de déjeuner sur l'herbe plutôt qu'un mélange d'allégorie et de mythologie. Au début de sa carrière, il dessinait et travaillait sur des esquisses à l'huile directement d'après nature et il y ajoutait ensuite à l'atelier des motifs variés. Avec le refus de ses toiles aux Salons de 1869 et 1870, Monet prit conscience de l'inutilité d'espérer avoir plus de reconnaissance par le biais des voies de l'art officiel. En un sens, cet épisode le libéra de l'Académie pour toujours. Il partit ensuite travailler avec Pissarro à Londres où il découvrit les aquarelles de Turner et Constable.

De retour en France, en 1871, il vécut avec sa famille à Argenteuil. Commencèrent alors de longues années de lutte pour gagner sa vie et être reconnu. C'est à Argenteuil, où il travailla directement avec Sisley, Renoir et Manet, qu'on été exécutés les nombreux petits tableaux qui ont formé peu à peu l'image que nous avons du monde impressionniste, un monde exubérant et riche de plaisirs. De 1876 à 1878, Monet revint habiter à Paris. Il s'attaqua alors aux effets du monde urbain et à ses changements constants. Mais c'est à la campagne qu'il se sentait le plus à son aise. Dans les années 1880, et plus tard à Giverny (où il finit ses jours), il concentra tout son travail aux effets purs de la nature. Il se servit de son expérience de peintre de plein air pour multiplier les variétés de l'expression dans ses séries – les meules de foin, les arbres, la cathédrale de Rouen, le jardin de Giverny et les nénuphars.

82. Claude Monet *Les Promeneurs (Frédéric Bazille et Camille)*, 1865. National Gallery of Art, Washington, D.C. ; Alisa Mellon Bruce Collection

83. Claude Monet *Femmes au jardin*, 1866–1867
Musée d'Orsay, Paris

84. Claude Monet *Déjeuner sur l'herbe*, 1866
Musée Pouchkine, Moscou

85. Claude Monet *Les Coquelicots à Argenteuil*, 1873
Musée d'Orsay, Paris

86. Claude Monet *Terrasse à Sainte-Adresse*, 1866-1867
Metropolitan Museum of Art, New York ; Fonds des Amis du Musée

87. Claude Monet *Au bord de l'eau, Bennecourt*, 1868
Art Institute of Chicago ; Potter Palmer Collection

88. Claude Monet *La Plage de Trouville*, 1870
National Gallery, Londres ; courtesy the Trustees of the National Gallery

89. Claude Monet *Jean Monet sur son cheval mécanique*, 1872
Nathan Cummings Collection, New York

90. Claude Monet *La Promenade, la femme à l'ombrelle (Camille et Jean Monet)*, 1875. National Gallery of Art, Washington, D.C. ; Collection Mr. & Mrs. Paul Mellon

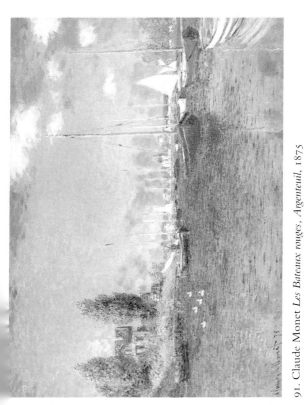

91. Claude Monet *Les Bateaux rouges, Argenteuil*, 1875
Fogg Museum, Harvard University, Cambridge, Mass. ;
legs – Collection Maurice Wertheim

92. Claude Monet *Le Parc Monceau*, 1878
Metropolitan Museum of Art, New York ;
Mr. & Mrs. Henry Ittleson, Jr., Fund

93. Claude Monet *Le Déjeuner*, 1868
Städelsches Kunstinstitut, Francfort

94. Claude Monet *La Gare Saint-Lazare, le train de Normandie*, 1877
Art Institute of Chicago ; Mr. & Mrs. Martin A. Ryerson Collection

95. Claude Monet *La Gare Saint-Lazare*, 1877
Musée d'Orsay. Paris

96. Claude Monet *La Rue Saint-Denis, Fête du
30 juin 1878* (dit à tort *la Rue Montorgueil*), 1878
Musée des Beaux-Arts, Rouen

97. Claude Monet *Le Jardin de l'artiste à Vétheuil*, 1880
National Gallery of Art, Washington, D.C. ;
Ailsa Mellon Bruce Collection

98. Claude Monet *Bordighera*, 1884
Art Institute of Chicago ; Potter Palmer Collection

99. Claude Monet *Bordighera*, 1884
Santa Barbara Museum of Art ; succession Katherine Dexter McCormick

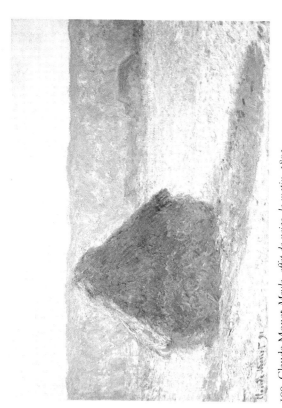

100. Claude Monet *Meule, effet de neige, le matin*, 1891
Museum of Fine Arts; Boston ; don Misses Aimée & Rosamond Lamb
en mémoire de Mr & Mrs Horatio A. Lamb

101. Claude Monet *Deux meules de foin*, 1891
Art Institute of Chicago ; Mr & Mrs Lewis L. Coburn Memorial Collection

102. Claude Monet *Peupliers au bord de l'Epte*,
1891. Philadelphia Museum of Art ;
legs Anne Thomson

103. Claude Monet *Les Peupliers*, 1891
Metropolitan Museum of Art, New York ;
H. O. Havemeyer Collection

104. Claude Monet *La Cathédrale de Rouen,
portail et tour de Albane*, 1894
Musée d'Orsay, Paris

105. Claude Monet *La Cathédrale de Rouen au crépuscule*, 1894. Museum of Fine Arts, Boston ; Julia Cheney Edwards Collection

106. Claude Monet *Le Pont japonais et l'étang des nymphéas*, Giverny, 1899. Philadelphia Museum of Art, Mr. & Mrs. Carroll S. Tyson Collection

107. Claude Monet *Jardin et pont japonais*, 1900
Museum of Fine Arts, Boston ; don Fondation Fuller en mémoire
du Governor Alvan T. Fuller

108. Claude Monet *Nymphéas I*, 1905
Museum of Fine Arts, Boston ; don Edward Jackson Holmes

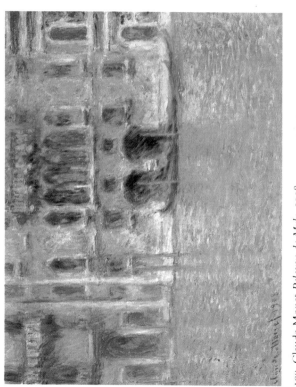

109. Claude Monet *Palazzo da Mula*, 1908
National Gallery of Art, Washington, D.C.; Chester Dale Collection

110. Claude Monet *La Japonaise*, 1876
Museum of Fine Arts, Boston ; 1951 Purchase Fund

Pierre-Auguste Renoir :

peintre de la joie de vivre

Pour Renoir, la peinture a d'emblée, et par dessus tout, été une source de plaisir. Ses premières expériences comptaient des copies d'œuvres voluptueuses et romantiques du style rocaille qui influencèrent ses thèmes, une fois parvenu à la maturité.

En 1862, Renoir entra à l'Ecole des Beaux-Arts dans l'atelier de Gleyre. L'élève fut souvent en désaccord avec le maître qui, essentiellement peintre d'histoire, considérait la peinture comme sérieuse et didactique.

Au mois d'août 1869, Renoir rejoignit Monet à la Grenouillère où les deux peintres travaillèrent côte à côte. Là-bas, Renoir peignit pour la première fois d'une manière nettement impressionniste, directement inspirée de la juxtaposition, chère à Monet, de touches de couleurs larges et rapides.

En 1872 et 1874, il travailla une nouvelle fois avec Monet alors installé à Argenteuil. Puis Renoir loua une maisonnette entourée d'un grand jardin à Montmartre. Durant sa période montmartroise, il se concentra sur des études figuratives de ses amis artistes et d'endroits de divertissements populaires comme le Moulin de la Galette. Son ambition première était moins de saisir la fugacité du moment que de rendre compte d'un certain milieu social.

Malgré son attachement visible aux thèmes de plein air, Renoir était de plus en plus déçu par le chromatisme fractionné et par le caractère éphémère et instantané de la technique impressionniste. Son séjour en Italie à l'automne 1881 lui inspira un profond respect pour les grands maîtres de la Renaissance italienne et un enthousiasme pour l'art du passé. A partir de cette époque, il se voua au thème du nu féminin empreint d'une réminiscence de l'art d'Ingres mais où les leçons impressionnistes demeureraient toutefois clairement évidentes.

111. Pierre-Auguste Renoir *Le Déjeuner des canotiers*, 1881
The Phillips Collection, Washington, D.C.

112. Pierre-Auguste Renoir *Les Canotiers à Chatou*, 1879
National Gallery of Art, Washington, D.C. ; don Sam A. Lewisohn

113. Pierre-Auguste Renoir *Voiliers à Argenteuil*, vers 1873–1874
Portland Art Museum, Oregon

114. Pierre–Auguste Renoir *L'Enfant à l'arrosoir*, 1876
National Gallery of Art, Washington, D.C. ;
Chester Dale Collection

115. Pierre-Aususte Renoir *Jeune mère ou
La Promenade*, 1874–1876
The Frick Collection, New York

116. Pierre-Auguste Renoir
La Danse à la campagne, 1883
Musée d'Orsay, Paris

117. Pierre-Auguste Renoir *Bouquet de printemps*, 1866
Fogg Museum, Harvard University, Cambridge, Mass.

118. Pierre-Auguste Renoir *Jeune femme cousant*, 1879
Art Institute of Chicago ; Mr. & Mrs. Lewis L. Coburn
Memorial Collection

119. Pierre-Auguste Renoir *Portrait de Mademoiselle Sicot*,
1865. National Gallery of Art; Washington, D.C. ;
Chester Dale Collection

120. Pierre–Auguste Renoir
Lise - La Femme à l'ombrelle, 1867
Museum Folkwang, Essen

121. Pierre–Auguste Renoir *La Loge*, 1874
Courtauld Institute Galleries, Londres

122. Pierre–Auguste Renoir *Portrait de Sisley*, 1874
Art Institute of Chicago ; Mr. & Mrs. Lewis L. Coburn
Memorial Collection

123. Pierre-Auguste Renoir *La Danseuse*, 1874
National Gallery of Art, Washington, D.C. ;
Widener Collection

124. Pierre-Auguste Renoir *Madame Claude Monet avec son fils*, 1874
National Gallery of Art, Washington, D.C. ; Ailsa Mellon Bruce Collection

125. Pierre-Auguste Renoir *Jeune fille au chat*, 1876
National Gallery of Art, Washington, D.C. ;
don Mr. & Mrs. Benjamin E. Levy

126. Pierre-Auguste Renoir *Jeune femme au piano*,
1875-1876. Art Institute of Chicago ;
Mr. & Mrs. Martin A. Ryerson Collection

127. Pierre-Auguste Renoir *La Fin du déjeuner*, 1879
Stadelsches Kunstinstitut, Francfort

128. Pierre-Auguste Renoir *Jongleuses au cirque Fernando*, 1879. Art Institute of Chicago ; Potter Palmer Collection

129. Pierre-Auguste Renoir
Madame Georges Charpentier et ses enfants, 1878
Metropolitan Museum of Art, New York ;
Wolfe Fund, Catherine Lorillard
Wolfe Collection

130. Pierre-Auguste Renoir *Sur la terrasse*, 1881
Art Institute of Chicago ; Mr. & Mrs. Lewis L. Coburn
Memorial Collection

131. Pierre-Auguste Renoir *Jeune fille au cerceau*, 1885. National Gallery of Art, Washington, D.C. ; Chester Dale Collection

132. Pierre-Auguste Renoir *Portrait de Madame Léon Clapisson*, 1883. Art Institute of Chicago ; Mr. & Mrs. Martin A. Ryerson Collection

133. Pierre-Auguste Renoir *La Cueillette des fleurs dans la prairie*, 1890. Metropolitan Museum of Art, New York

134. Pierre-Auguste Renoir *Odalisque* ou *Une femme d'Alg[...]*
1870. National Gallery of Art, Washington, D.C. ;
Chester Dale Collection

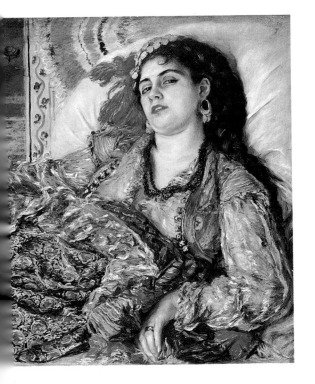

135. Pierre-Auguste Renoir *Diane chasseresse*,
1867. National Gallery of Art, Washington, D.C. ;
Chester Dale Collection

136. Pierre-Auguste Renoir *Baigneuse se coiffant*, 1893
National Gallery of Art, Washington, D.C. ;
Chester Dale Collection

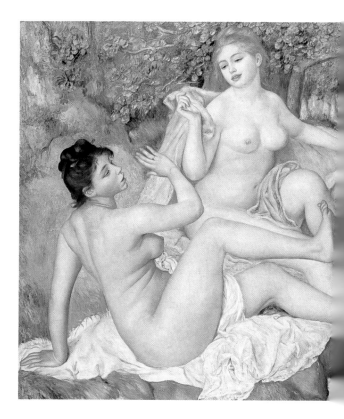

137. Pierre-Auguste Renoir
Les Grandes Baigneuses, 1887
Philadelphia Museum
of Art

Edgar Degas et Toulouse-Lautrec : l'heure de réflexion

Degas et Toulouse-Lautrec manifestaient le même manque d'intérêt pour le paysage (excepté la fascination que Degas avait pour les chevaux et les hippodromes). Tous deux se sont concentrés sur les êtres humains, et en particulier les femmes, et sur le rôle que joue la lumière artificielle dans leur représentation en environnement «naturel». Mais au-delà de ces spécificités, il y eut très peu de rapport entre eux deux ou avec les autres impressionnistes que ce soit dans leurs sujets, leurs méthodes, leurs fréquentations et leurs expériences.

Très tôt, Degas exécrait être catalogué d'impressionniste et préférait se penser peintre réaliste, même s'il participa à la première exposition du groupe. Tout en proclamant la nécessité d'étudier la nature, il insista sur le fait qu'en peinture le facteur essentiel est l'intelligence modératrice de l'artiste – la suprématie de l'esprit. L'œuvre de Degas montre son attachement au dessin et à la composition ainsi qu'aux implications psychologiques et sociales. Il n'était pas contraint par les conventions traditionnelles et, comme Toulouse-Lautrec, Degas suivit plutôt son penchant naturel pour l'expérimentation et les juxtapositions inattendues (comme ses formes isolées d'influence japonaise).

Alors que Degas affirmait que tous les aspects de l'expérience contemporaine étaient dignes d'exploration artistique, Toulouse-Lautrec en atteignit les limites. Tandis que Degas choisissait pour sujets danseuses, actrices, chanteuses ou même modistes et blanchisseuses, Toulouse-Lautrec préférait les thèmes plus crus. Atteint de claudication à la suite de nombreux accidents de jeunesse, Toulouse-Lautrec était littéralement fasciné par les exercices physiques qui constituaient en quelque sorte une compensation à son infirmité. Ainsi, les déformations et les distorsions du corps humain sont-elles présentes dans son œuvre comme dans nulle autre.

Toulouse-Lautrec choisit très vite de vivre dans l'univers rude et interlope de la Butte Montmartre. Ce haut lieu de la bohème lui permit de fréquenter les habitants du quartier : danseuses, chanteuses, prostituées et petits délinquants. Son œuvre, bien qu'unique, a d'une manière générale des points communs avec celle des impressionnistes et en particulier avec celle de Degas : un dessin et une couleur concis et une sorte de résumé caustique du geste et du mouvement.

138. Edgar Degas *Avant la course (Les Courses)*, 1873
National Gallery of Art, Washington, D.C. ; Widener Collection

139. Edgar Degas *Le Tub*, 1886
Musée d'Orsay, Paris

140. Edgar Degas *La Famille Bellelli*, 1858–1862
Musée d'Orsay, Paris

141. Edgar Degas *La Femme aux chrysanthèmes (Mme Hertel)*, 1865
Metropolitan Museum of Art, New York ; H. O. Havemeyer Collection

142. Edgar Degas *M. et Mme Edmond Morbilli*, vers 1865
National Gallery of Art, Washington, D.C. ;
Chester Dale Collection

143. Edgar Degas *Achille de Gas en aspirant de marine*,
1856-1857. National Gallery of Art, Washington, D.C. ;
Chester Dale Collection

144. Edgar Degas *James Tissot dans un atelier d'artiste*, vers 1868. Metropolitan Museum of Art, New York ; Rogers Fund

145. Edgar Degas *Madame René de Gas*, 1872–1873
National Gallery of Art, Washington, D.C. ; Chester Dale Collection

146. Edgar Degas *Madame Camus en rouge*, 1869–1870
National Gallery of Art, Washington, D.C. : Chester Dale Collection

147. Edgar Degas *Henri de Gas et sa nièce Lucy*, vers 1876
Art Institute of Chicago ; Mr. & Mrs. Lewis L. Coburn Memorial Collection

148. Edgar Degas *L'Opéra (Danseuses à l'ancien Opéra)*,
vers 1877. National Gallery of Art, Washington, D.C. ;
Ailsa Mellon Bruce Collection

149. Edgar Degas *Chanteuse au gant*, 1878
Fogg Museum, Harvard University, Cambridge, Mass. ;
legs – Collection Maurice Wertheim

150. Edgar Degas *Chez la modiste*, vers 1882
Museum of Modern Art, New York ; don Mrs. David M. Levy

151. Edgar Degas *Portrait après un bal costumé (Mme Dietz-Monin)*, 1879. Art Institute of Chicago ; Joseph Winterbotham Collection

152. Edgar Degas *Chez la modiste*, 1882
Metropolitan Museum of Art, New York :

153. Edgar Degas *Chez la modiste*, 1882–1885. National Gallery of Art, Washington, D.C. ; Collection Mr. & Mrs. Paul Mellon

154. Edgar Degas *Miss Lola au cirque Fernando*, 1879. National Gallery, Londres ; Courtauld Collection

155. Edgar Degas *Quatre danseuses*, vers 1899
National Gallery of Art, Washington, D.C. ; Chester Dale Collection

156. Edgar Degas *La Classe de danse*, 1880
Philadelphia Museum of Art ; W. P. Wilstach Collection

157. Edgar Degas *Danseuses (rose et vert)*, vers 1890
Metropolitan Museum of Art, New York ; H. O.
Havemeyer Collection

158. Henri de Toulouse-Lautrec *Le Départ du quadrille au Moulin-Rouge*, 1892. National Gallery of Art, Washington, D.C. ; Chester Dale Collection

159. Henri de Toulouse-Lautrec *L'Anglais au Moulin-Rouge*, 1892. Metropolitan Museum of Art, New York ; legs Miss Adelaide Milton de Groot

160. Henri de Toulouse-Lautrec *Au Salon de la rue des Moulins*, 1894
Musée Toulouse-Lautrec, Albi

161. Henri de Toulouse-Lautrec *A la mie*, 1891
Museum of Fine Arts, Boston ; achat A. S. Denio Fund & General
Income for 1940

162. Henri de Toulouse-Lautrec *Au cirque Fernando, l'écuyère et le maître de manège*, 1888. Art Institute of Chicago ; Joseph Winterbotham Collection

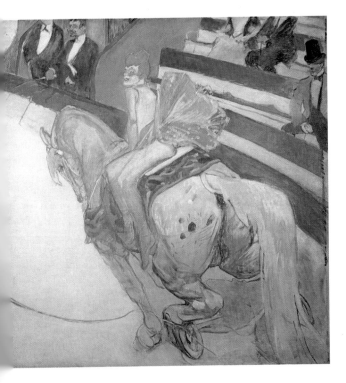

163. Henri de Toulouse-Lautrec *Alfred la Guigne*,
1894. National Gallery of Art, Washington, D.C.;
Chester Dale Collection

164. Henri de Toulouse-Lautrec *Yvette Guilbert*, 1894. Museum of Art, Rhode Island School of Design ; don Mrs. William S. Dareforth

165. Henri de Toulouse-Lautrec *May Milton*, 1895
Art Institute of Chicago ; legs Kate L. Brewster

166. Henri de Toulouse-Lautrec *La Toilette*, 1896
Musée d'Orsay, Paris

Les impressionnistes en 1886

La huitième et dernière exposition des impressionnistes eut lieu en 1886. Quatre années la séparaient de la précédente et aucun des piliers du groupe – Monet, Renoir, Sisley et Caillebotte – n'y participait. Sans les âpres efforts de Pissarro, l'exposition n'aurait d'ailleurs probablement jamais eu lieu. A l'origine de la motivation de Pissarro, il y eut sans doute sa rencontre avec Paul Signac et Georges Seurat, deux années plus tôt. La seule présence à l'exposition d'*Un dimanche après-midi à l'île de la Grande-Jatte* de Seurat était révélatrice de la crise que traversait alors l'impressionnisme. De fait, la nouveauté de la *Grande-Jatte* résidait précisément dans le choix d'un sujet familier des impressionnistes, le thème du plein air, utilisé comme point de départ pour l'élaboration d'une méthode entièrement nouvelle d'appliquer la couleur. Dans son intention d'établir un lien entre la peinture et la science moderne, Seurat, ainsi que ses successeurs Signac et Cross, était considéré comme un peintre résolument moderne.

Quand van Gogh arriva à Paris en 1886, l'ampleur prise par l'impressionnisme lui échappa totalement. Mais avec une stupéfiante rapidité d'assimilation, qui caractérisa sa vie et sa carrière de peintre, il aura tôt fait d'appréhender l'essence même des théories impressionnistes et de les défier. En effet, il commença immédiatement à éclaircir sa palette et à changer de thèmes et de motifs mais il reprocha aux impressionnistes leur manque de rigueur et leur superficialité. En février 1888, il s'installa à Arles et persuada Gauguin de venir l'y rejoindre, réalisant là un idéal de collaboration artistique qui n'eut pourtant pas lieu.

On connaît bien les dernières années de troubles qui agitèrent la vie de van Gogh ainsi que les œuvres de cette époque, qui comptent certainement parmi les plus brillantes. Quant à Gauguin, à son arrivée à Arles, il était déjà profondément attaché à la Bretagne : il s'était en effet installé à Pont-Aven où la vie quotidienne portait les marques appuyées de siècles de tradition et de ferveur religieuse. Le style symboliste que Gauguin développa en Bretagne se perpétua ensuite dans ses œuvres tahitiennes du fait du paysage caractéristique, des couleurs exotiques, du folklore et des légendes de l'île – une île où il créa son univers le plus expressif, le plus mystérieux et le plus physique, un style déjà très éloigné de l'impressionnisme.

167. Georges Seurat
*Un dimanche après-midi à l'Ile
de la Grande Jatte*, 1884–1886
Art Institute of Chicago ;
Helen Birch Bartlett
Memorial Collection

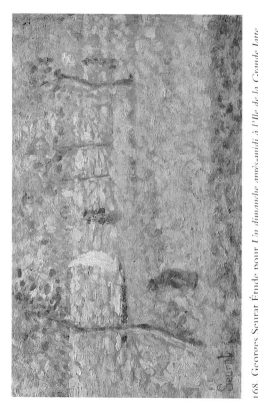

168. Georges Seurat Étude pour *Un dimanche après-midi à l'Île de la Grande Jatte*, 1884–1886. National Gallery of Art, Washington, D.C. ; Ailsa Mellon Bruce Collection

169. Pierre-Auguste Renoir
La Danse à la ville, 1883
Musée d'Orsay, Paris

170. Paul Signac *Les Gazomètres à Clichy*, 1886
National Gallery of Victoria, Melbourne ; legs Felton

171. Charles Angrand *Couple dans la rue*, 1887
Musée national d'Art Moderne, Paris

172. Georges Seurat
Une baignade à Asnières,
1884. National Gallery,
Londres

173. Georges Seurat *Poseuse assise,
vue de dos*, 1887. Musée d'Orsay, Paris

174. Georges Seurat *Jeune femme se poudrant*,
1889-1890. Courtauld Institute Galleries, Londres

175. Georges Seurat *La Parade de cirque*, 1887–1888
Metropolitan Museum of Art, New York

176. Georges Seurat *Port-en-Bessin, l'avant-port, marée basse*, 1888
National Gallery of Art, Washington, D.C. ; don W. Averell Harriman Fund

177. Georges Seurat *Le Cirque*, 1891
Musée d'Orsay, Paris

178. Georges Seurat *Le Chahut*, 1889–1890
Rijksmuseum Kröller-Müller, Otterlo

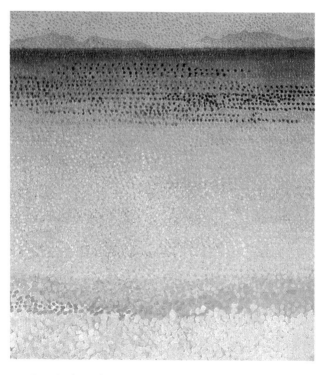

179. Henri Edmond Cross *Les Iles d'or*, 1892
Musée national d'Art Moderne, Paris

180. Vincent van Gogh *Trois paires de souliers*, 1887
Fogg Museum, Harvard University, Cambridge, Mass. ;
Collection Maurice Wertheim

181. Vincent van Gogh *Les Mangeurs de pommes de terre*, 1885
Rijksmuseum Vincent van Gogh, Amserdam

182. Vincent van Gogh *Nature morte avec une bible ouverte*, 1885
Rijksmuseum Vincent van Gogh, Amsterdam

183. Vincent van Gogh *Tournesols*, 1888
National Gallery, Londres

184. Vincent van Gogh *L'Arlésienne (Madame Ginoux)*, 1888
Metropolitan Museum of Art, New York ;
legs Samuel A. Lewisohn

185. Vincent van Gogh *Le Pont-levis près d'Arles*, 1888
Rijksmuseum Kröller-Müller, Otterlo

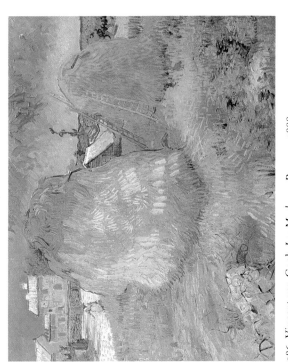

186. Vincent van Gogh *Les Meules en Provence*, 1888
Rijksmuseum Kröller-Müller, Otterlo

187. Vincent van Gogh *La Chaise et la pipe*, 1888–1889
Tate Gallery, Londres

188. Vincent van Gogh *Le Fauteuil de Gauguin*, 1888
Rijksmuseum Vincent van Gogh, Amsterdam

189. Vincent van Gogh *Le Café de nuit*, 1888
Yale University Art Gallery, New Haven ; don Stephen C. Clark

190. Paul Gauguin *Dans le jardin de l'hôpital d'Arles*, 1888
Art Institute of Chicago ; don Annie Swan Coburn

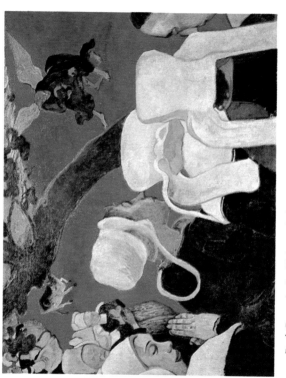

191. Paul Gauguin *La Vision après le sermon ou La Lutte de Jacob avec l'Ange*
National Galleries of Scotland, Edimbourg

192. Paul Gauguin *Portrait charge de Gauguin*,
1889. National Gallery of Art, Washington,
D.C. ; Chester Dale Collection

193. Paul Gauguin *D'où venons-nous… Que sommes-nous…
Où allons-nous ?*, 1897. Museum of Fine Arts, Boston ;
Tompkins Collection

Paul Cézanne
et le legs de l'impressionnisme

A son arrivée à Paris en 1861, Cézanne consacra de longues heures à étudier et à dessiner au Louvre. Il fréquenta aussi l'Académie Suisse où il rencontra Pissarro, dont le rôle dans son évolution comme peintre du paysage allait être déterminant. Par l'intermédiaire de son ami d'enfance Zola, Cézanne devint l'un des proches de Manet dont l'emploi des contrastes heurtés de couleurs sourdes et l'exécution franche et naturelle l'attiraient. Dans les années 1860 et 1870, il continua à peindre des thèmes visionnaires et érotiques aux prolongements mythologiques ou religieux. En 1872, Cézanne rejoignit Pissarro à Pontoise puis plus tard à Auvers-sur-Oise, où il se livra à une étude approfondie de paysage. A cette période, il renonça pratiquement aux sujets anecdotiques et mythologiques, éclaircit sa palette, limita la longueur et la densité de ses touches et participa à la première exposition impressionniste de 1874.

Lors de la troisième exposition impressionniste qui eut lieu en 1877, Cézanne présenta des paysages mais aussi ses premiers tableaux de baigneurs, sujet qui lui permit de concilier son attrait pour l'art monumental du passé et son nouvel enthousiasme pour le paysage. Malgré ses participations aux expositions des impressionnistes, Cézanne ne partageait pas avec eux l'intérêt pour l'instantanéité et les effets de la nature. Clarté, structure et composition géométrique étaient les atouts majeurs de sa peinture, atouts qui donnaient un sens de l'éternité et de la solidité – une alternative constructiviste à l'impressionnisme.

Parmi les héritiers de l'art de Cézanne, on citera Braque et Picasso dont *Les Demoiselles d'Avignon* (1907), partiellement inspirées des dernières études pour les «Baigneuses», sont la parfaite illustration de la conception audacieuse et fluctuante de Cézanne. La réduction des objets à leurs formes géométriques essentielles et le caractère volontairement inachevé de certaines toiles, deux autres aspects de l'œuvre de Cézanne, joueront également un rôle décisif dans la naissance du cubisme.

194. Paul Cézanne *La Corbeille de pommes*,
vers 1895. Art Institute of Chicago ;
Helen Birch Bartlett Collection

195. Paul Cézanne *La Pendule noire*, 1869–1871
Stavros S. Niarchos Collection, Londres

196. Paul Cézanne *Nature morte avec l'Amour en plâtre*, vers 1892. Courtauld Institute Galleries, Londres

197. Paul Cézanne *Nature morte aux pommes et aux pêches, vers* 1905
National Gallery of Art, Washington, D.C. : don Eugene & Agnes Meyer

198. Paul Cézanne *Nature morte à la bouteille de Peppermint*, vers 1894
Natinal Gallery of Art, Washington, D.C. ; Chester Dale Collection

199. Paul Cézanne *Portrait du père de
l'artiste*, 1866. National Gallery of Art,
Washington, D.C. ;
Collection Mr. & Mrs. Paul Mellon

200. Paul Cézanne *Madame Cézanne au fauteuil rouge*,
vers 1877. Museum of Fine Arts, Boston ;
legs Robert Treat Paine

201. Paul Cézanne *Portrait du fils de l'artiste, Paul*, vers 1885-1890
National Gallery of Art, Washington, D.C. ;
Chester Dale Collection

202. Paul Cézanne *Madame Cézanne au fauteuil jaune*, 1893-1895. Art Institute of Chicago, Wilson L. Mead Fund

203. Paul Cézanne *Portrait d'Ambroise Vollard*, 1899
Musée du Petit Palais, Paris

204. Paul Cézanne *Le Jardinier (Vallier assis)*, 1905-1906
Tate Gallery, Londres

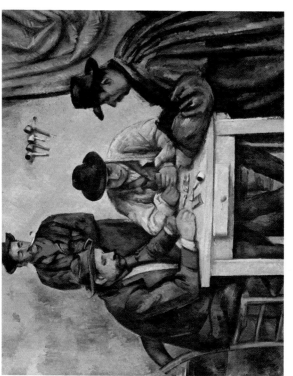

205. Paul Cézanne *Les Joueurs de cartes*, 1890–1892
Metropolitan Museum of Art · New York · 1951 Stephen C. Clark

206. Paul Cézanne *Le Golfe de Marseille, vu de l'Estaque*, 1884–1885
Metropolitan Museum of Art, New York ; H. O. Havemeyer Collection

207. Paul Cézanne *Le Golfe de Marseille, vu de l'Estaque*, vers 1886–1890
Art Institute of Chicago : Mr. & Mrs. Martin A. Ryerson Collection

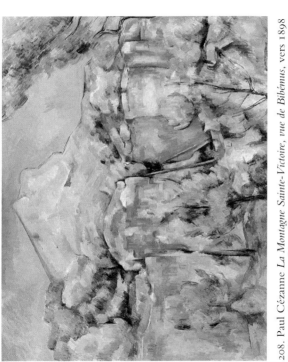

208. Paul Cézanne *La Montagne Sainte-Victoire, vue de Bibémus*, vers 1898
Baltimore Museum of Art, Cone Collection

209. Paul Cézanne
La Montagne Sainte-Victoire,
vue des Lauves, 1902–1906
Kunsthaus, Zurich

210. Paul Cézanne *Le Château noir*, 1900–1904
National Gallery of Art, Washington, D.C. ; don Eugene & Agnes Meyer

211. Paul Cézanne *Maisons à l'Estaque*, 1880. National Gallery of Art, Washington, D.C. ; Collection Mr. & Mrs. Paul Mellon

212. Paul Cézanne *Bibémus - Le Rocher rouge*, 1897
Musée d'Orsay, Paris

213. Paul Cézanne *La Carrière Bibémus*, vers 1895
Folkwang Museum, Essen

214. Paul Cézanne *Pin et rocher près des grottes au-dessus de Château noir*, vers 1910. Art Museum, Princeton University

215. Georges Braque *Route près de l'Estaque*, 1908
Museum of Modern Art, New York ; don anonyme

216. Paul Cézanne *La Lutte d'amour*, vers 1880
National Gallery of Art, Washington, D.C. ;
don W. Averell Harriman Foundation

217. Paul Cézanne *Les Grandes Baigneuses*, 1900–1906
National Gallery, Londres

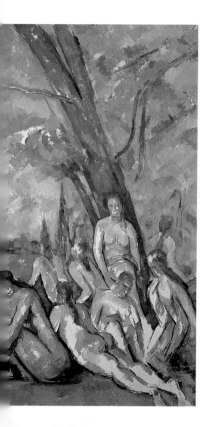

218. Paul Cézanne
Grandes Baigneuses,
1899-1905. Philadelphia
Museum of Art ; W. P.
Wilstach Collection

219. Paul Cézanne *Baigneuses*, 1899–1904
Art Institute of Chicago ; Amy McCormick Memorial Collection

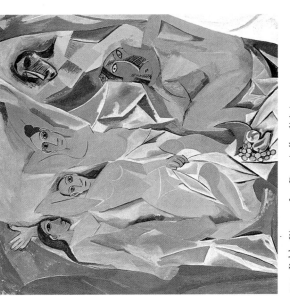

220. Pablo Picasso *Les Demoiselles d'Avignon*, 1907
Museum of Modern Art, New York ; legs Lillie P. Bliss

Aubin Imprimeur

LIGUGÉ, POITIERS

Achevé d'imprimer
en septembre 1996
Imprimé en France